數位世界的孩子 2

為什麼我要重視網路安全？

文｜班·赫柏德 Ben Hubbard
圖｜迪亞哥·瓦斯柏格 Diego Vaisberg
譯｜洪翠薇

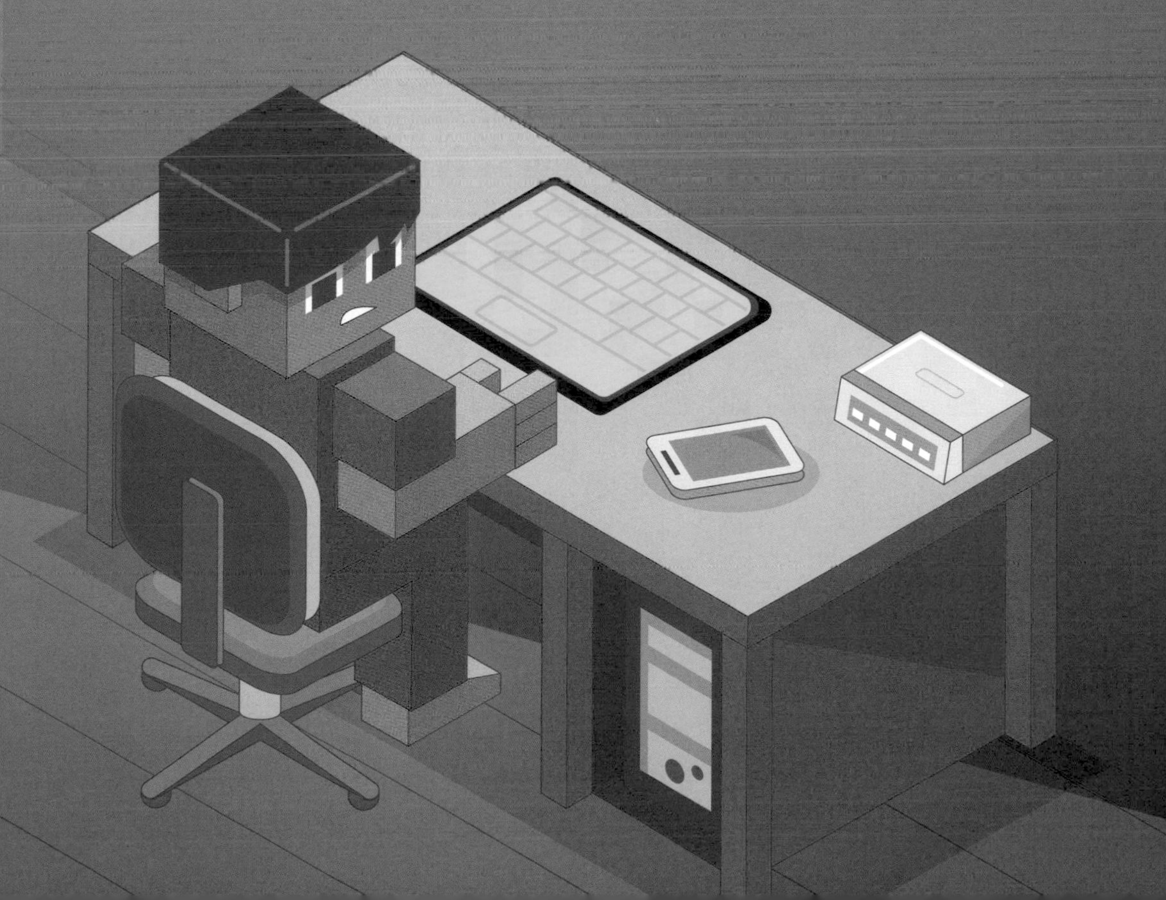

Digital Citizens Series : My Digital Safety and Security

Author: Ben Hubbard
Illustrator: Diego Vaisberg
Packaged by: Collaborate

Franklin Watts
First published in Great Britain in 2018 by
The Watts Publishing Group

Franklin Watts
An imprint of Hachette Children's Group
Part of The Watts Publishing Group
Carmelite House
50 Victoria Embankment
London EC4Y 0DZ

An Hachette UK Company
www.hachette.co.uk
www.franklinwatts.co.uk

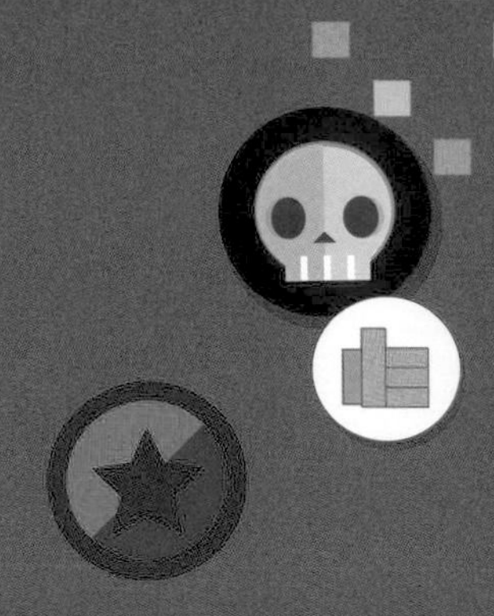

少年知識家

數位世界的孩子❷

為什麼我要重視網路安全？

作者｜班・赫柏德 Ben Hubbard　繪者｜迪亞哥・瓦斯柏格 Diego Vaisberg　譯者｜洪翠薇

責任編輯｜張玉蓉　特約編輯｜洪翠薇　美術設計｜蕭雅慧
內文排版｜柏思羽　行銷企劃｜陳雅婷
發行人｜殷允芃　創辦人兼執行長｜何琦瑜　總經理｜王玉鳳
總監｜張文婷　副總監｜林欣靜　版權專員｜何晨瑋

出版者｜親子天下股份有限公司　地址｜台北市 104 建國北路一段 96 號 11 樓
電話｜（02）2509-2800　傳真｜（02）2509-2462　網址｜www.parenting.com.tw
讀者服務專線｜（02）2662-0332　週一～週五：09:00~17:30
傳真｜（02）2662-6048　客服信箱｜bill@service.cw.com.tw
法律顧問｜瀛睿兩岸暨創新顧問公司
印刷製版｜中原造像股份有限公司　裝訂廠｜中原造像股份有限公司
總經銷｜大和圖書有限公司　電話：（02）8990-2588

出版日期｜2019 年 4 月第一版第一次印行

定價｜300 元　書號｜BKKKC116P　ISBN｜978-957-503-385-9（精裝）

訂購服務
親子天下 Shopping｜shopping.parenting.com.tw
海外・大量訂購｜parenting@service.cw.com.tw
書香花園｜台北市建國北路二段 6 巷 11 號　電話（02）2506-1635
劃撥帳號｜50331356　親子天下股份有限公司

親子天下 Education・Parenting Family Lifestyle

目錄

什麼是「數位公民」

當我們上網時，就進入了浩瀚的網路世界。

我們可以用手機、電腦和平板電腦來上網，
可以在線上探索與發揮創意，還可以和數十億個人交流、溝通。
這樣就形成了「數位社群」，而上網的每個人都是「數位公民」。
所以，當你在上網時，你就是個數位公民。
這是什麼意思呢？

公民與數位公民比一比

好的公民奉公守法，懂得照顧自己和其他人，並且努力讓社會更好。而好的數位公民也一樣。然而，網路世界比城市、國家要大得多，它跨越國界，延伸到全世界。因此，世界各地的數位公民，都有責任讓數位社群成為對每個人都安全、好玩的地方。

數位安全與保障

你知道嗎？全世界有三十七億的人使用網路喔！大部分都是誠實、正直的人，不會也不想傷害別人；然而，網路上還是會有一些不誠實、危險的人，就像真實世界中一樣。所以我們上網時，需要做好準備，懂得保護自己和身邊的人。這本書會教你如何在數位世界中保障自己的安全。

做好保護自己的準備

上網不是上戰場，但一樣別忘了要保護自己。

重點是要事先採取預防措施，在上網時也要隨時保持警覺。
也就是說，你要保護好個人資料、帳號密碼，而且不要輕易相信陌生人。
還有，也別上了假網站或詐騙網站的當，並且保護好自己的數位裝置，
不讓駭客和有害程式有機可乘。

保護你的裝置

我們的手機、電腦和平板電腦，就像是存放個人私密資料的檔案櫃。如果這些數位裝置遺失或被偷了，我們失去的可不只是照片、音樂和訊息而已，還有使用我們網路帳號的權限。這就是一定要用密碼保護數位裝置的原因。

保護你的個人隱私

如果想要維護上網安全，在網路上遇到陌生人時，就要和現實生活中一樣保持警覺，所以一定要隨時隨地保護你的個人資料。聰明的數位公民會在網路帳號上使用化名和虛擬頭像，絕對不張貼任何有關個人隱私的資料，例如住址或電話號碼。

好，我現在覺得很安全了，
可是電腦在哪裡？
哈哈哈！

懂得分辨詐騙

網路上有很多詐騙和盜取資料的手法。有人可能想用有害的程式，像是病毒或惡意軟體，來破壞我們的數位裝置；有人則會駭入我們的網路帳號並偷走資料。如果對危險有所警覺，懂得運用常識，通常就能避免這些網路上的危機。

可靠的幫手

上網時，身邊有個信任的大人會大有幫助。

他能幫你設定社群網站帳號、取化名、上傳虛擬頭像，
也能示範如何瀏覽網路，幫助你避開不適合小孩的網站。
最重要的是，如果出問題的話，隨時可以找他幫忙。

該找哪個大人呢？

首先，最重要的步驟就是選出正確又能信任的大人。對方可以是你的家長、監護人，或其他住在一起的成年家人。不過，最好找一個比你更懂網路的大人，否則就會變成你得幫助對方了！

爺爺，你會怎麼保護我上網時的安全呢？
網路是那個有「伊妹兒」的東西嗎？

網路上的身分

為了不要洩漏太多個人資訊，最好為你的網路帳號取個化名和使用虛擬頭像。化名就像綽號一樣，可以取任何你喜歡的名字。舉例來說，有人會把自己最喜歡的歌手名字加上號碼，用來當作化名。頭像是你在網路上的「臉」，全世界的人都能看到。許多人會拿電影明星或動畫人物的臉來當作頭像。

保護個人資料

在真實世界中，我們不會把個人資料散播給街上的路人。

網路世界也是一樣的道理。但是，個人資料包括什麼呢？
要怎麼知道哪些資訊該保持隱私，哪些又能公開呢？

個人資料

你的個人資料就是關於你身分的資訊，通常包括你的：

- 姓名
- 住址
- 電子郵件位址
- 電話號碼
- 學校名稱
- 親朋好友的個人資料

可以公開的資訊

有許多資訊可以在網路上公開，不會洩漏你的身分，不然你在網路上什麼都不能說了！可以公開的資訊包括：

- 自己的意見：只要尊重別人，你可以公開發表意見
- 最愛的食物、歌手或球隊
- 有幾個兄弟姊妹
- 度假時想去的地方
- 未來想做什麼工作

設定密碼

密碼能保護我們的網路帳號，
像是電子郵件或社群帳號等都要設密碼。

密碼是第一道防線，能防止別人使用我們的帳號；
第二道防線是裝置密碼，也就是用來解鎖數位裝置的密碼。
有了它，即使你的手機、電腦或平板電腦被偷了，
小偷也無法使用裝置上的資料。

裝置密碼

「裝置密碼」是一組用來解鎖數位裝置的密碼。如果沒有輸入正確的裝置密碼，這個裝置就會停留在鎖定畫面上。有些裝置在錯誤輸入超過一定的次數，就會無法使用。現在，許多手機和平板電腦都附有指紋掃瞄功能，用指紋辨識取代裝置密碼。

選擇你的密碼

密碼是一串字母、數字和特殊字元的組合，只有你自己知道。一般來說，越長的密碼越難破解。如果可能的話，使用十二個字元以上的密碼是最好的。盡量穿插使用不同數字和大、小寫字母，不過一定要是你記得住的組合喔！像是八歲的珍妮選擇了右邊這組密碼➡

1 Oito（葡萄牙文的「八」）

設定不易破解的密碼

想防止其他人使用你的網路帳號，設定一組不易破解的密碼是你的最佳防線。一般像社群網站，會在每次登入時詢問密碼。只能讓你信任的大人知道你的密碼，而且絕對不要寫下來。還有，每次用完時一定要登出，尤其是在用公共裝置登入的時候，更要記得登出帳號。

我的手機被偷了！

你有用裝置密碼保護它嗎？

有，而且我已經上網把所有社群帳號的密碼都改掉了。

很好，希望那樣能阻止別人駭入你的帳號。現在我們來聯絡警方和你的手機供應商吧！

2 MAS（她狗狗的名字Sam倒過來並且大寫）

3 1973（她最喜歡的舅舅出生的年分）

4 ******（六個星號，代表珍妮開始養Sam時是幾歲）

5 組合成密碼 OttoMAS1973******

網路惡霸與網路流氓

網路惡霸與網路流氓是
在網路上說別人的壞話、騷擾對方的人。

他們常常會張貼惡意的評論、照片，
或傳送傷人的訊息給受害者。
我們必須認真看待網路流氓和惡霸的問題，
才不會讓情況惡化。

網路惡霸

找我們麻煩的網路惡霸，常常是認識的人。如果你遇到這種事，一定要馬上告訴信任的大人。這個大人可能會聯絡你的學校和發生霸凌的網站，有時候也會聯絡警方。記得，遭到霸凌不是你的錯。

網路流氓

網路流氓通常是我們不認識的人，在網路上發起一連串隨機的人身攻擊。他們常常在討論區和聊天室默默等待，等到適當時機就做出惡意的評語或張貼討人厭的照片。有時候，大家對網路流氓的言語攻擊可能一笑置之，但這麼做是一種網路霸凌，所以記得一定要去檢舉。在你檢舉之後，最好的做法就是「忽略、封鎖及解除追蹤」。通常在得不到關注後，網路流氓就會消失了。

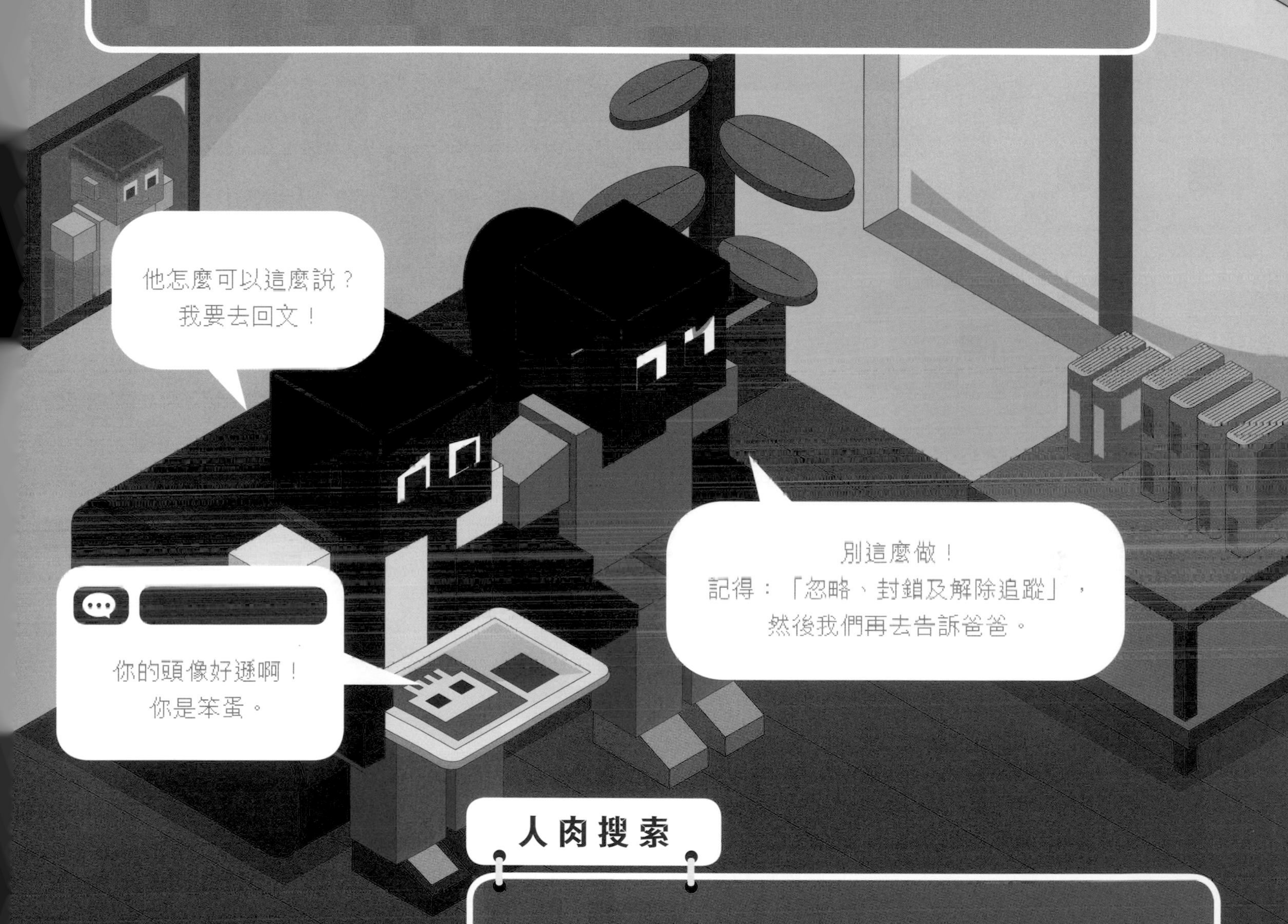

他怎麼可以這麼說？
我要去回文！
你的頭像好遜啊！
你是笨蛋。
別這麼做！
記得：「忽略、封鎖及解除追蹤」，
然後我們再去告訴爸爸。

人肉搜索

人肉搜尋又稱「肉搜」，指的是網路惡霸公開張貼受害者的個人資料，讓其他人也能霸凌對方。人肉搜尋有時候包括駭入受害者的網路帳號，偷取他的個人資料。這就是為什麼擁有不易破解的密碼是很重要的。

具私密性的社群網站

社群網站是許多人與親朋好友保持聯繫的地方。

在社群網站上通常有個「塗鴉牆」，我們可以在上面張貼照片、影片，並且把想法寫成貼文。別人能在我們貼的東西下方留言，我們也能去別人的塗鴉牆上留言。

不過，當我們在加「朋友」時，要小心挑選對象。

限定成員的社團

社群網站就像社團，當你在加「朋友」時，就是在選擇誰能加入你的「社團」。加入之後，你們就能看到彼此貼在塗鴉牆上的東西。新來的人可以「邀請」你加他們為「朋友」，你也能主動邀請他們。然而，對於加朋友的對象最好要小心。

該和誰分享？

你可以在社群網站帳號的隱私設定中，選擇誰能看到你的塗鴉牆。隱私設定中通常可以選擇「僅限朋友」、「朋友的朋友」或「所有人」。最好選擇「僅限朋友」的設定，並將不認識的人封鎖。你信任的大人可以幫你做這些設定。

網路上的陌生人

線上討論區和聊天室是認識同好的好地方。

不過，和社群網站不同的是，聊天室裡的人都是陌生人。
所以，即使你覺得自己跟在裡面遇到的人很熟，還是要格外小心。

我是面具女孩，你呢？
我是酷隊長！你幾歲啊？
我九歲，那你幾歲？
我也是九歲！

分辨「危險陌生人」的方法

網路上的危險陌生人，常常很懂得如何取得小朋友的信任。他們可能會假裝和你喜歡同樣的東西，還表現出對你說的話很有興趣。這種人很快就會讓你覺得他是你最要好的朋友。但是，遲早會出現一些跡象，讓人覺得對方有問題。這時候，一定要告訴你信任的大人。這些跡象可能有➡

1 問你關於學校和家裡附近的事。

你到底是誰？

由於在網路討論區或聊天室的人都會用化名和虛擬頭像，你無法確定對方到底是誰。例如，聲稱自己是住在紐約的八歲女孩，實際上有可能是住在倫敦的四十三歲男子。有時候，網路上會有想傷害小孩的危險人物，所以絕對不要洩漏任何關於你的個人資訊。

你在哪裡上學？
我不該告訴你這個，再見。

2 問能不能送禮物給你。

3 向你要電話號碼或住址。

4 要求你寄自己的照片給他。

5 [illegible]

遇上麻煩怎麼辦？

就連最小心謹慎的數位公民，有時候還是會在上網時犯錯。

比如說，我們有可能不小心對不熟的人洩漏太多私事。
我們可能告訴對方一些個人資訊、寄照片給他，
或是答應了讓自己後悔的事。記得，如果發生這種事，
告訴你信任的大人永遠不會太遲。
也要記得，絕對不要為別人做你不想做的事，
就算對方給你壓力也不要妥協。

我覺得我們
應該見面。
如果不見面的話，
就走著瞧吧！
我會讓你爸媽看到
你寄給我的那張自拍。

阻止陌生人

網路上的危險陌生人常常會對受害者施壓，甚至威脅他們，以達成自己的目的。如果你遇到這種事，記得，你有能力阻止事情變得更嚴重。你可以依照右邊的步驟來解除危機➡

1 告訴你信任的大人發生了什麼事。記得要誠實說出詳情，對方才能幫得上忙。

2 如果你覺得身邊沒有可以傾訴的大人，可以打給小孩專用的諮詢專線。你可以在本書的第31頁找到一些有用的電話號碼。

3 記錄你和這個陌生人之間的所有通訊，包括對螢幕畫面截圖，這能幫助你信任的大人和警方進行調查。接著，將對方從你所有的帳號中封鎖。

4 給自己一個愛的鼓勵，因為向別人求助是值得嘉獎的行為。你做了對的事，也重新掌握了自己的生活。記得，不管發生了什麼事，絕對不要因為求助而感到羞恥。

數位罪犯

數位罪犯是騙子，專門靠在網路上詐騙和偷竊賺錢。

通常，數位罪犯會在網路上設下陷阱，
等著沒有戒心的數位公民上當。
這種陷阱很容易讓人在不知不覺中受騙，
所以最好要保持警覺。

斂財廣告

號稱能讓人「輕鬆賺大錢」的廣告，總是會吸引我們的目光。誰不想要多一點零用錢呢？有時候，這類廣告聲稱要尋找有才藝的小孩，來拍攝電影或電視廣告；然而，一旦你加入以後，他們就會要求你先付一筆錢作為「經紀費用」。所以，最好一開始就不要回應這種廣告。

分辨真偽

要分辨出電子郵件或網站是真是假，有時候並不容易。不過，我們還是可以從右方的跡象看出一些端倪➡

語句不順或錯字連篇

專業的公司在網路上張貼文章之前，會先請編輯檢查有沒有錯誤，但是網路罪犯不會這麼做。

網路釣魚和假網站

「網路釣魚」是指在電子郵件裡放特定連結，讓你連進假網站。接著，這個網站會要求你下載某樣東西，或是要你輸入個人資料或信用卡號碼，這樣對方就能盜用你的信用卡，而你下載的軟體可能會駭入你的電腦，偷走你的個人資料。

你有收到學校發給你，要你提供個人資料的電子郵件嗎？
沒有耶，聽起來不太對勁，讓我看看。
你看，這封信的位址怪怪的，而且有好多錯字，裡面貼的連結看起來也不太對勁。
這是網路釣魚郵件！

怪怪的連結

如果將滑鼠游標移到一個連結上（但是不要點下去），通常你會看到真正的網址。比較這個超連結和網址的文字，就能知道這個連結是不是導向假網站。

沒有聯絡資訊

沒有提供地址和電話號碼的網站，通常是假網站。你也可以在網路上確認一個網站的「網域名稱」，確認這個網站可不可信。可以請你信任的大人幫忙檢查。

要求資料

真正的網站和正常的電子郵件絕對不會向你要求銀行帳戶密碼，或其他牽涉到個人隱私的資料。一定要記得將這類資料保密。

彈出式視窗和網路陷阱

所有數位公民都知道，網路上充斥著彈出式視窗、炫麗的廣告和宣稱「你得獎了」的通知。

有時候，很容易就會不小心點到不想點的東西，
一路被帶往找不到出口的「死胡同」。
如果想留在正確的道路上，就要注意以下幾點。

我贏得了一支新手機！
只要用爸媽的信用卡資料
來付運費就可以了，超划算的！

假的得獎通知

「恭喜！你贏得了最新型的手機！」在我們看到這樣的網路廣告時，會覺得這種好事怎麼可能會是真的？的確，那不是真的！如果你點了通知得獎的視窗，接下來對方就會聲稱為了寄獎品給你，要求你提供電子郵件、郵寄地址，甚至是信用卡卡號。不過，這種廣告都是騙局，可別上當了！

點選正確的連結

當我們要下載最新應用程式或遊戲時，常常會點選搜尋引擎找出來的第一個連結。但是，這種下載連結有時候是假的，可能會讓你下載到病毒或惡意軟體。一定要注意，只從你用過的可靠網站下載東西。

隱形的手機費用

你的手機上有沒有出現過彈出式視窗，說要幫你算命、或要讓你知道自己像哪一個《星際大戰》裡的角色？只要提供手機號碼，就可以開始了。但是，如果你給了手機號碼，而且同意對方的條款，你就很有可能會被收一筆一次性的費用，最好的應對方式就是退出視窗。

你知道這些信用卡消費是怎麼回事嗎？
我好像被騙了！而且免費的手機根本沒寄來！

意外的花費

大家很容易會在網路上不小心花了錢。有些遊戲應用程式可以免費下載，但是一旦玩到某個級數，就會要求收費。另外，如果你的家人常常線上購物，又把信用卡資料存在電腦上，你只要按錯按鈕，就有可能不小心購買下去。好好運用你的常識，記得閱讀條款與條件，以免落入這樣的陷阱。

病毒與惡意軟體

數位公民除了要保護自己的網路帳號，
也要保護好自己的數位裝置，
不讓數位犯罪和網路詐騙得逞。

請記得，千萬別讓數位裝置被有害的病毒與惡意軟體傷害。

真貼心，
謝謝你寄電子卡片給我。
JOY
等等……我沒有寄
電子卡片給你，不要打開！

病毒與惡意軟體

可能會傷害數位裝置的程式主要有➡

1 惡意軟體：這種軟體會傷害你的裝置，或從上面竊取資料。

2 病毒：一種有害的惡意軟體，會自行安裝在裝置現有的程式上，並透過網路散播到其他電腦上。

做好保護

抵擋病毒和惡意軟體最簡單的方式，就是不要點選任何可疑的連結或郵件附件。你也可以持續更新你的防毒軟體，作為第二道防線。防毒軟體能在一開始就阻止危險程式進入你的數位裝置。此外，保持防火牆開啟也很重要，它是一面盾牌，能阻止歹徒進入你的數位裝置。

不懷好意的朋友？

有時候，如果你的親朋好友帳號被駭了，可能會寄帶有惡意軟體的電子郵件給你。這類郵件可能會附了像電子卡片的附件，裡面帶著有害的惡意軟體。所以，對於任何有附件的電子郵件都要提高警覺，要特別注意有沒有錯字或其他可疑的地方。

3 間諜軟體：一種惡意軟體，會從你的數位裝置蒐集你的資料。

4 特洛伊木馬：又叫作「木馬程式」，這種程式能讓別人偷偷進入你的數位裝置，通常是為了偷取你的資料。

數位知識小測驗

在你看完這本書之後，對於網路安全有什麼感想呢？

你學到了多少東西，又能記得多少東西呢？
做做看這個小測驗，完成後計算總分，就能知道囉！

Q1 以下何者能保護你在網路上的安全？

a. 一套盔甲
b. 化名和虛擬頭像
c. 一組檔案櫃

Q2 以下何者是私人資訊的例子？

a. 你最喜歡的顏色、食物和足球隊
b. 你有幾隻寵物
c. 你的住址和電話號碼

Q3 以下哪一組是高強度的密碼？

a. 12345678
b. Password
c. £DinnerTRAIN791;-(

Q4 以下何者是在網路上做人身攻擊的人？

a. 網路流氓
b. 網路祕客
c. 網路警察

Q5 如果網路上有陌生人向你要住址，你該怎麼辦？

a. 給他假的住址
b. 將表弟的住址給他
c. 告訴你信任的大人

Q6 以下哪一種社群帳號的隱私設定最理想？

a. 僅限朋友
b. 朋友的朋友
c. 所有人

Q7 你可以如何辨識假電子郵件？

a. 信裡有許多錯字
b. 主旨有「假」這個字
c. 信裡保證不是在說謊

Q8 沒有經過許可，絕對不要在網路上輸入什麼資料？

a. 10到15之間的數字
b. 你朋友的生日
c. 爸媽的信用卡資料

你表現得如何？
來計算總分吧！

1分～4分：
是個好的開始，不過再做一次測驗吧！看看你能不能得4分以上。

5分～7分：
表現不錯喔！現在，試試看你能不能通過《為什麼我要注意網路健康？》書後的小測驗。

8分：
恭喜你得滿分！你是天生的數位公民喔！

答案 1.b 2.c 3.c 4.a 5.c 6.a 7.a 8.c

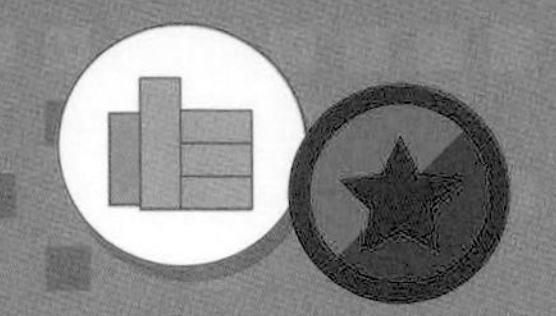

詞彙表

應用程式

簡稱為APP，是智慧型手機、平板電腦等數位行動裝置專用的程式。

附 件

夾帶在電子郵件裡的檔案，例如照片或文字檔案。

虛擬頭像

用來在網路上代表自己的圖示或圖像。

封 鎖

一種阻止別人在網路上傳送惡意訊息給你的方式，或是被阻擋、不能上某個網站。

網路霸凌

在網路上，針對個人或群體進行惡意、重複且含有敵意的行為。

下 載

從網路上取得資訊或檔案，存放到數位裝置中。

駭 客

運用電話系統或網際網路，在非正規的情況下入侵他人系統的人。

網 路

一個巨大的電子關係網，讓全世界上億臺電腦能互相連結。

惡意軟體

一種危險的程式，用來傷害其他數位裝置。

上 網

透過數位裝置連結到網路。

隱私設定

社群網站上的控制選項，讓你決定誰能連結到你的個人檔案與觀看你的貼文。

智慧型手機

能夠連線上網的手機。

社群網站

讓使用者能用來在網路上分享內容與資訊的網站。

信任的大人

你熟悉且信任的大人，能幫助你處理所有和網路相關的問題。

延伸資訊

我有網路霸凌的行為嗎？

透過下列的指標，來檢視自己有沒有網路霸凌的行為：

★ 用即時通訊傳訊息來罵人
★ 未經他人同意就張貼他人的照片到網路上
★ 在網路上公開別人的秘密
★ 轉寄恐怖或色情照片給別人
★ 在網路上公布別人的個人資料
★ 在網路上匿名取笑別人
★ 在網路上指名道姓批評別人
★ 把不雅照片或影片傳到網路
★ 參與惡意票選（例如：班上最醜的人、最討厭的人等）

網路麻煩求救途徑

若在網路上遇上麻煩，可尋求以下管道的協助：

★ 張老師專線1980
★ iWIN熱線02-33931885
★ iWIN網路內容防護機構www.win.org.tw
★ 教育部反霸凌投訴專線0800-200-885
★ 臺灣展翅協會http://www.web885.org.tw
★ 中華白絲帶關懷協會http://www.cyberangel.org.tw/tw/

索引

（依筆畫、注音排列）

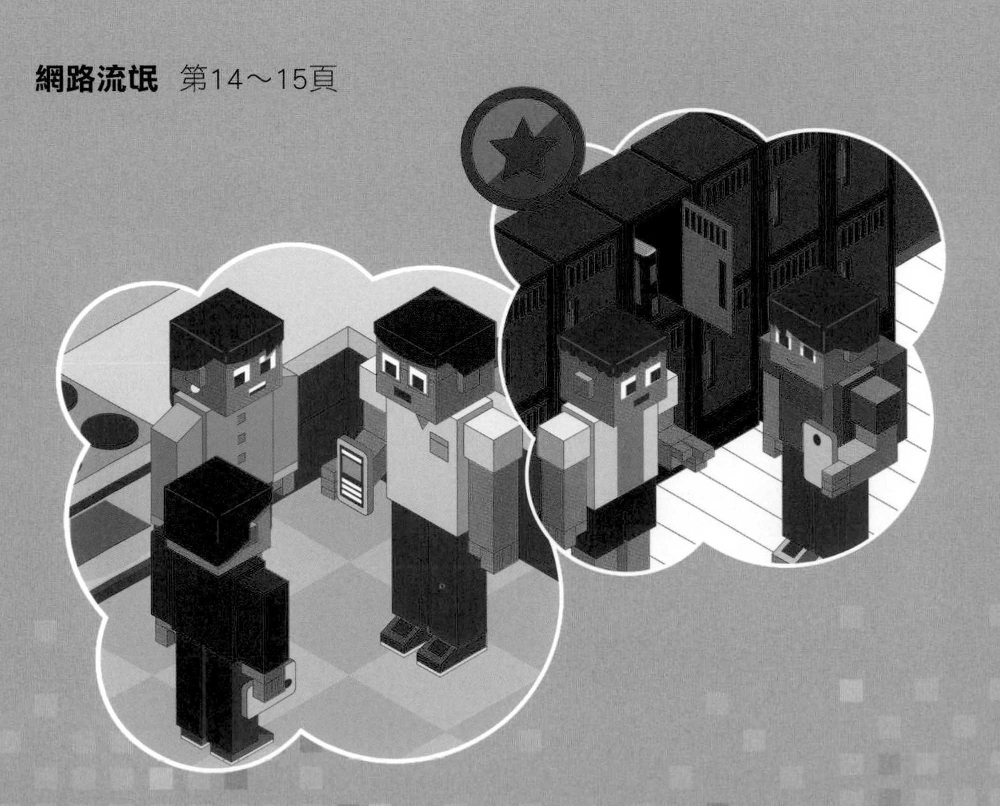